D1256682

DRAGON BALL

LE SUPER SAÏYEN

DRAGON BALL

Dragon Ball 27

Traduction : Kiyoko Chappe
Lettrage : Fabrice Bras
© 1997,Editions Glénat
BP 177, 38008 Grenoble cedex.
Domaine d'application du présent copyright:
France,Belgique,Suisse,Luxembourg,Quebec.
ISBN : 2.7234.2226.7
ISSN : 1253.1928
Dépôt légal : juin 1997

Imprimé en France par Maury-Eurolivres
45300 Manchecourt

QU... QU'EST-CE QUE C'EST QUE CE BRUIT ?

J'ESPÈRE QU'IL N'EST RIEN ARRIVÉ !

QUAND SANGOKU VA-T-IL SE DÉCIDER À ARRIVER ?

QU'IL NOUS DÉBARRASSE ENFIN DE FREEZER !

SINON JE VAIS FINIR PAR MOURIR DE PEUR !

IM... IMPOSSIBLE !

AH... AAH !

FREEZER N'A RIEN SENTI ?! POURTANT LA PUISSANCE DU KAMÉHAMÉHA ÉTAIT GIGANTESQUE !

LA... LA FORCE DE MON PÈRE A ÉNORMÉMENT DIMINUÉ !

FREE... FREEZER A...

...UNE PUISSANCE DÉMENTIELLE !

NOTRE ÉCHEC EST TOTAL !

MAÎTRE KAÏO AVAIT RAISON !

NOUS N'AURIONS JAMAIS DÛ DÉFIER FREEZER !

GAAH !
HAAAH !

PAH

TCHAOF

OÙ EST PASSÉE TA VIVACITÉ DE TOUT À L'HEURE ?

TU ES EN PANNE ?

WOO... GOU !

KUUH !!

C'EST VRAI, J'AI PERDU BEAUCOUP D'ÉNERGIE.

PEUF !

LE KAÏOKEN VINGT FOIS PLUS PUISSANT M'A VIDÉ !

PEUF !

ZWOOF

BADAM

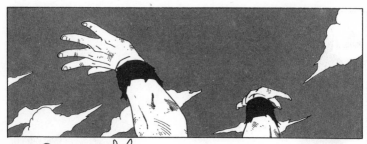

PEUF !

PEUF !

C'EST LE GENKI-DAMA !

LE GENKI-DAMA ?!

C'EST UNE TECHNIQUE DE MAÎTRE KAÏO À N'UTILISER QU'EN DERNIER RECOURS !

ON CRÉE UNE BOULE D'ÉNER-GIE...

...EN COL-LECTANT CELLE DE TOUTES LES FORMES DE VIE DE LA PLANÈTE.

CELLE DES PLANTES, DES ANIMAUX, DES MICROBES, LA NÔTRE...

QU... QUOI ?!

ENFOIRÉ DE MAÎTRE KAÏO !

IL S'EST BIEN GARDÉ DE NOUS EN PARLER !

M... MAIS...!

...ÇA VA MARCHER SUR FREEZER ?!

IL Y A PEU DE VIE ICI PAR RAPPORT À LA TERRE !

SANGOKU LE SAIT TRÈS BIEN, MAIS DE TOUTE FAÇON, IL N'Y A PAS D'AUTRE SOLUTION !!

IL FAUT ESSAYER !

PEUF !

PEUF !

JE... JE NE VOULAIS PAS UTILISER LE GENKIDAMA !

LA TERRIBLE ÉNERGIE QUI S'EN DÉGAGE POURRAIT DÉTRUIRE LA PLANÈTE, MAIS...

...SI JE N'ÉCRASE PAS FREEZER MAINTENANT, C'EST L'UNIVERS ENTIER QUI SERA EN DANGER !

JE... JE NE SAIS PAS SI ÇA VA MARCHER, MAIS... JE N'AI PAS LE CHOIX !

CRÉATURES DE NAMEK ET DES PLANÈTES VOISINES !

DONNEZ-MOI UN PEU DE VOTRE ÉNERGIE !!

DRAGON BALL

PEUF !

PEUF !

PEUF !

QUE FAIT-IL ?

POURQUOI RESTE-T-IL IMMOBILE COMME ÇA ?

ENCORE UN PEU !

C'EST ÉNORME !

ET... ÇA GRANDIT ENCORE !

AUSSI GROS ?!

SUR TERRE, IL ÉTAIT DE CETTE TAILLE.

CELUI-LÀ FAIT AU MOINS 50 MÈTRES DE DIAMÈTRE !

IL N'Y A PAS QUE L'ÉNERGIE DE NAMEK.

IL Y A AUSSI CELLE DES PLANÈTES VOISINES.

FREEZER N'A PAS ENCORE COMPRIS.

POURQUOI SANGOKU NE S'EN SERT IL PAS MAINTENANT ?

IL PENSE QU'IL NE POURRA PAS ÉCRASER FREEZER À MOINS QUE LA BOULE NE SOIT PLUS PUISSANTE...

J'EN SUIS SÛR !

P... PAPA... DÉPÊCHE-TOI !

VITE !

ALORS ? QU'EST-CE QU'IL Y A ? FAIS QUELQUE CHOSE !

ME FERAIS-TU SIGNE QUE TU TE RENDS ?

COLLECTER L'ÉNERGIE PREND BEAUCOUP DE TEMPS, C'EST LE GROS DÉFAUT DE CETTE TECHNIQUE !

J'ESPÈRE QUE FREEZER NE VA PAS S'EN RENDRE COMPTE, ET QUE J'AURAI LE TEMPS DE FINIR !

J'ESPÈRE !!

TU M'ENNUIES À LA FIN !

TU VAS RESTER COMME ÇA ENCORE LONGTEMPS ?

EN... ENCORE UN PETIT MOMENT ! HÉ HÉ HÉ !

ENFOIRE !!

BAH

POF

TAC

IL A COM- PRIS !!

NON ! PAS ENCO- RE !!

PEUF ! PEUF !

ALORS ? TU NE VOU- LAIS PAS FAIRE QUELQUE CHOSE ?!

SAN- GOHAN ! KRILIN !

DONNEZ- MOI LA FORCE QU'IL VOUS RESTE !

HEIN ?!

DONNEZ- LA-MOI ! TOUT DE SUITE !

PEUF !

PEUF !

LA PLAISAN-TERIE A ASSEZ DURÉ !!

HÉ ! HÉ HÉ HÉ !

NE TE PRESSE PAS !

VLOWH

AHH !

NE PENSEZ À RIEN ! CONCENTREZ-VOUS !

GAAAH...

PEUF !

PEUF !

PEUF !

PEUF !

PEUF !

JE N'AI JAMAIS RÉUSSI À COMPRENDRE LES SAÏYENS ET ILS M'ONT TOUJOURS DÉPLU !

CE COMBAT COMMENCE À ME FATIGUER. JE VAIS T'ANÉANTIR EN MÊME TEMPS QUE LA PLANÈTE...

...ET LE PETIT, COMME ÇA, LA RACE DES SAÏYENS SERA ENFIN ÉRADIQUÉE !

LES SUPER-SAÏYENS NE SONT DONC QU'UNE LÉGENDE !

...

CE N'EST PAS LE SOLEIL !

29

IL A TROUVÉ !

QU'EST-CE QUE C'EST QUE ÇA ? ON DIRAIT UNE BOULE D'ÉNERGIE !.

C'EST...

...TOI ?!

ÇA SUFFIT !

GARDEZ-EN UN PEU POUR VOUS !

ÇA Y EST ! IL A COMPRIS !

GOU!

NE BOUGEZ PAS DE LÀ !

QUOI QU'IL ARRIVE, NE VOUS APPRO-CHEZ SURTOUT PAS !

TU ÉTAIS EN TRAIN DE DÉVELOP-PER ÇA...!!

OÙ CACHAIS-TU UNE TELLE PUISSAN-CE ?

VWOO

C'EST... C'EST TROP TARD ! MÊME SI J'ATTAQUAIS AVEC LE GENKIDAMA MAINTENANT, FREEZER L'ÉVITERAIT !

IL N'EST PAS ASSEZ GRAND ! Z... ZUT !

TU VOULAIS M'ATTAQUER AVEC PAR SURPRISE... PAUVRE IDIOT !

TON JOLI PLAN EST TOMBÉ À L'EAU !

PLASH

PI...
PICCO-
LO ?!

FINIS
TON
GENKI-
DAMA !
VITE !

MERCI !

BAFF

VITE, SANGOKU ! LE COUP QUE JE LUI AI DONNÉ ÉTAIT TOUT CE QUE JE POUVAIS FAIRE !

ENCORE CE NAMEK ?!

IL EST TOUJOURS VIVANT ?!

SANGOKU ! LE GENKI-DAMA N'EST PAS ENCORE PRÊT...?

FREEZER N'A VRAIMENT PAS L'AIR CONTENT !

BRAVO !

ILS N'ONT POURTANT QUASIMENT PLUS DE FORCES !

NIIH !

IL Y EN A D'AUTRES LÀ-BAS.

HÉ ! HÉ ! HÉ ! ILS SONT DOUÉS POUR ÉNERVER LES GENS.

BON ! ÇA SUFFIT !!

JE VAIS VOUS ATOMISER !!

GUIIH !!

BIEN !!

C'EST BON !!

VAS-Y !

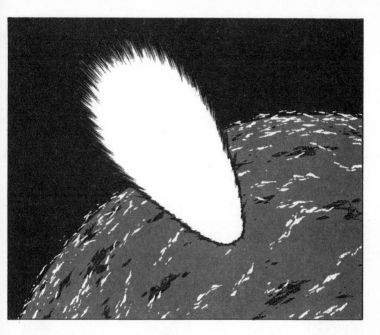

47

M... MAÎTRE KAÏO !

NE... NE ME DITES PAS QUE SAN-GOKU EST MORT...

...

ILS...

ILS ONT RÉUSSI !

F... FREEZER EST...

ILS ONT EU FREEZER !

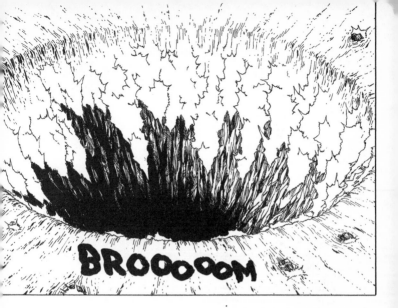

BROOOOOM

PEUF !

PEUF !

KRILIN !

TOC

TU VAS BIEN ?

OUI.

ET MON PÈRE, ET PICCOLO ?

...

ILS ÉTAIENT TRÈS PRÈS.

J'ESPÈRE QU'ILS N'ONT PAS ÉTÉ TOUCHÉS.

JE NE SENS PAS LEURS AURAS !

C'EST PARCE QUE TU N'AS PLUS ASSEZ DE FORCE POUR TE CONCENTRER.

PICCOLO A TOUJOURS EU DE LA CHANCE, JE SUIS SÛR QU'ILS SONT VIVANTS.

KRILIN !

LÀ-BAS !

HEIN !?

PICCOLO !!

PEUF !

PEUF !

BON. ON RENTRE ?

AVEC MON VAISSEAU SPATIAL, ÇA NE NOUS PRENDRA QUE CINQ JOURS !

AH !

QUOI ?!

J'AVAIS COMPLÈTEMENT OUBLIÉ...!

...BULMA !

TU M'AS FAIT PEUR, J'AI CRU QUE FREEZER ÉTAIT REVENU !

DANS UN CERTAIN SENS, BULMA EST PIRE !

HA ! HA ! HA !

NE ME FAITES PAS RIRE, J'AI MAL PARTOUT !

ÇA ÉTÉ UNE VRAIE CATASTROPHE POUR NAMEK, MAIS...

...TOUT CEUX QUI ONT ÉTÉ MASSACRÉS PEUVENT REPOSER EN PAIX AVEC LE GRAND CHEF.

HEIN ?

COMMENT ES-TU AU COURANT POUR LE GRAND CHEF ?

M...

HEIN ?

MAIS...!

PI...

PICCOLO !

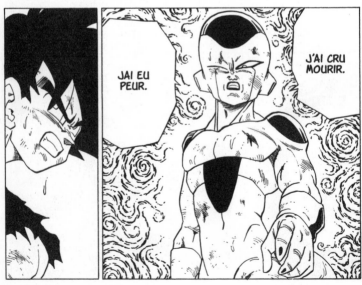

ALLEZ-VOUS-EN !

PRENEZ MON VAISSEAU ET QUITTEZ LA PLANÈTE AVEC BULMA !

QU'EST-CE QUE TU DIS ?!

ÇA NE VA PAS, SANGOKU ?

ON NE PEUT PAS !

PARTEZ TOUT DE SUITE ! VOUS ME GÊNEZ !

VOUS VOULEZ MOURIR AUSSI ?

SI VOUS CROYEZ QUE VOUS ALLEZ VOUS EN TIRER COMME ÇA !

JE NE VAIS CERTAINEMENT PAS VOUS LAISSER PARTIR !

MÊME BLESSÉ, JE N'AURAI AUCUNE DIFFICULTÉ POUR VOUS TUER !

!! TCHAF WAAAAH !

KRILIN !

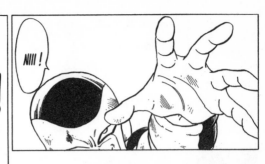

NIII !

FREEZER !
ARRÊTE !

SANGOKU !

BAH

HÉ !
HÉ !
HÉ !

À TON
TOUR,
MICRO-
BE !

TU... TU... TU VAS PAYER !

CO... COMMENT... COMMENT AS-TU OSÉ ?

KIIF IIIII...

CHRIIIII...

?!

HEIN ?!

QU... QU'EST-CE QUI LUI ARRIVE ?

D'HABITUDE LES SAÏYENS SE TRANSFORMENT EN SINGES GÉANTS !

DÉPÊCHE-TOI, SANGOHAN ! SI PICCOLO MEURT, LE TOUT-PUISSANT MEURT AUSSI ! TU ME SUIS ?

NE T'INQUIÈTE PAS POUR MOI ! JE VOUS REJOINDRAI PLUS TARD !

MAIS... COMMENT ?

NE ME COMPLIQUE PAS LA TÂCHE ! TU RISQUES SURTOUT DE ME DÉRANGER !

...

ZWOOOF

MERCI, PAPA !

MERCI !

TCHAF

KUUH !!

TAK

COMMENT AS-TU OBTENU UNE TELLE FORCE ?

TU... TU ES...?

J'AI COMPRIS !

VÉGÉTA AVAIT RAISON !

PAPA EST DEVENU...

...UN SUPER SAÏYEN !!

C'EST LA RAISON POUR LAQUELLE ILS ONT ÉTÉ EXTERMINÉS !

PAR MOI !

ILS NE ME PLAISAIENT PAS !

MAINTENANT, ÇA VA ÊTRE TON TOUR !

MÊME SI TU DEVENAIS VRAIMENT UN SUPER-SAÏYEN !

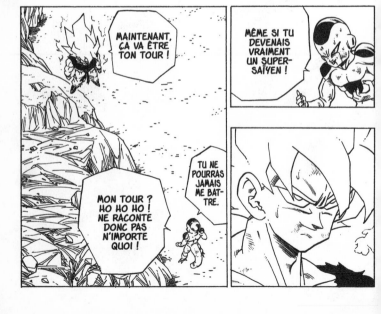

MON TOUR ? HO HO HO ! NE RACONTE DONC PAS N'IMPORTE QUOI !

TU NE POURRAS JAMAIS ME BATTRE.

L'HEURE
DES COMP-
TES A
SONNÉ !

HO HO
HO !

CHZZZz

PEUF !

PEUF !

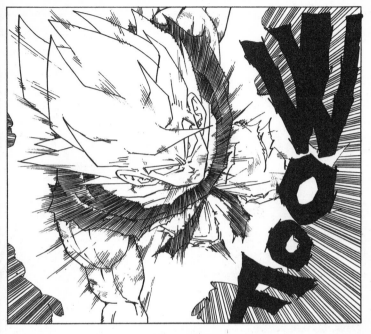

GUIIIH !!

KUUH !!

IL... IL L'A ÉVITÉ !!

IM... BAW IMPOSSIBLE !!

BA BA BA BA BAW BA BAW

CHRAF

ZIP

SI TU AVAIS ÉTÉ TOUCHÉ, TU AURAIS ÉTÉ...

EH BEN, TOUCHE-MOI !

QU... QUOI ?!

EN... ENFOIRÉ !

TU VAS LE REGRET-TER !!

TU AS DÉTRUIT UNE PLANÈTE...

...MAIS TU N'ES PAS CAPABLE DE BATTRE UN ÊTRE HUMAIN ?

...

QUI...
QUI ES-
TU ?

TU
N'AS PAS
SAISI ?

JE SUIS
VENU POUR
T'ÉLIMINER !

LORSQUE
JE PERDS MON
CALME ET QU'UNE
IMMENSE COLÈRE
M'ENVAHIT, JE ME
TRANSFORME EN
COMBATTANT
DE LÉGENDE !

JE
SUIS
SAN-
GOKU !
LE
SUPER-
SAÏYEN
!!

JE... JE VOIS !

TU ES UN SUPER-SAÏYEN !

HÉ !

HÉ ! HÉ ! HÉ !

EN PERDANT TON CALME HABITUEL...

JE COMPRENDS POURQUOI VÉGÉTA N'A PAS PU LE DEVENIR...

Z...

ZUT !

ZUT !!

QU... QUELLE HUMILIATION ! FA... FACE À CETTE VERMINE ! CE... CE N'EST QU'UN SAÏYEN !

JE... JE N'ARRIVE PAS À Y CROIRE ! MON PIRE CAUCHEMAR ! POURTANT JE SUIS FREEZER !

C'EST FINI...

...FREE-ZER !

C'EST ÇA ?!

AHH ! J'OU-BLIAIS !!

J'EN AI POUR UNE MINUTE, PICCOLO !

IL FAUT QUE J'AILLE CHERCHER BULMA !

JE PRÉ-
FÉRERAIS
ME SUI-
CIDER...

...PLUTÔT
QUE DE
MOURIR
DE TA
MAIN !

COMME TU VOU-DRAS.

JE NE VAIS PAS MOU-RIR...

...MAIS TOI, SI !

JE PEUX SURVIVRE DANS L'ESPACE !

ET TOI, TU PEUX ?!

HÉ HÉ HÉ !

JE VAIS FAIRE SAUTER CETTE PLANÈTE !

FAAW

ZUT
!!

M... MAÎTRE KAÏO ?

...

A... ALORS ?

SANGOKU S'EST BIEN DÉFENDU CONTRE FREEZER. IL A ÉTÉ TRÈS FORT, IL A GAGNÉ LE COMBAT.

MAIS... C'ÉTAIT SANS ISSUE. FREEZER A DÉTRUIT NAMEK !

... CE... CELA VEUT DIRE...?

PERSONNE NE PEUT SURVIVRE DANS L'ESPACE, À PART FREEZER, BIEN SÛR...

MAÎTRE KAÏO ? VOUS M'ENTEN-DEZ ?

C'EST MOI, LE TOUT-PUISSANT.

AHH... OUI.

JE T'EN-TENDS.

J'AI DEMANDÉ À MISTER POPO DE RÉUNIR LES DRAGON BALLS.

CE SERA BIEN-TÔT FAIT.

ENCORE UN PEU DE PATIENCE ET NOUS POURRONS RESSUSCITER VOS PENSIONNAIRES.

HORMIS CHAOZU, IL EST DÉJÀ MORT DEUX FOIS.

AHH ! C'EST...

A... ATTENDS UN PEU !!

TU... TU ES VIVANT !?

OUI, GRÂCE AUX DRAGON BALLS DE NAMEK.

MAIS ALORS, PICCOLO EST VIVANT AUSSI ?

OUI ! VOUS ÊTES AU COURANT, JE SUPPOSE, QUE PICCOLO ET MOI NE FAISIONS QU'UN, À L'ORIGINE.

ÇA VEUT DIRE...!

BIIP

...

OHH
!!

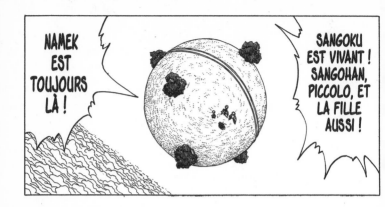

NAMEK EST TOUJOURS LÀ !

SANGOKU EST VIVANT ! SANGOHAN, PICCOLO, ET LA FILLE AUSSI !

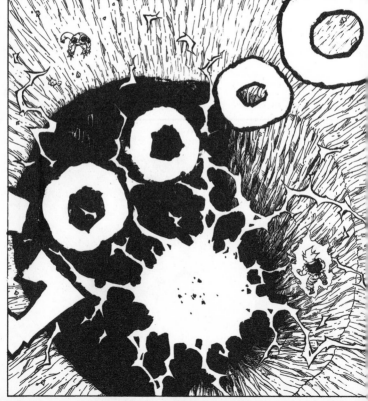

BROOOOOOO...

KOF !

C'ÉTAIT PAS ASSEZ PUISSANT !

TU AVAIS TELLEMENT PEUR DE MOURIR DANS L'EXPLOSION QUE TU AS RATÉ TON COUP ! C'EST DOMMAGE...

...PARCE QUE DU COUP, JE SUIS ENCORE VIVANT !

ENCORE VIVANT ?

HO HO HO !

TU N'AS PAS BIEN SAISI !

TU VAS CONNAÎTRE MA FORCE MAXIMALE !

TU NE POURRAS JAMAIS ME BATTRE ! REGARDE BIEN !

POURQUOI N'EN ARRIVES-TU LÀ QUE MAINTENANT ? TON CORPS RISQUE DE NE PAS SUPPORTER UNE TELLE PUISSANCE, PEUT-ÊTRE ?

...

JE NE VAIS PAS TE LAISSER ME COINCER ICI !!

ON VA EN FINIR, MAINTENANT !!

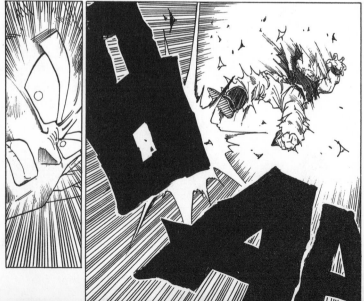

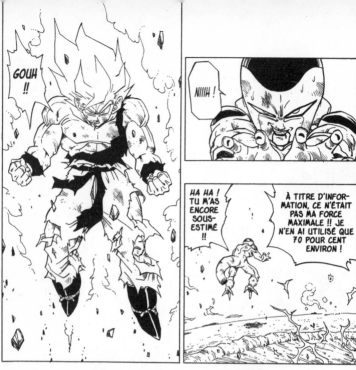

SON AURA EST DE PLUS EN PLUS GRANDE.

ÇA DOIT ÊTRE PARCE QU'IL EST AU MAXI- MUM.

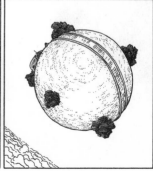

QU... QU'EST-CE QUE TU FAIS, SANGOKU ? TU M'ENTENDS ?

MAINTENANT ! ATTAQUE FREEZER PENDANT QU'IL SE CONCENTRE !

SANGOKU ! JE SUIS SÛR QUE TU M'ENTENDS !

SANGOKU ! C'EST MAINTENANT OU JAMAIS !

JE VOUS ENTENDS, MAÎTRE KAÏO.

HEIN ?!

C'EST VRAI. C'EST MAINTENANT OU JAMAIS.

JE VAIS POUVOIR AFFRONTER L'HOMME LE PLUS FORT DE TOUT L'UNIVERS.

QU... QUOI ?!

SANGOKU ! TU TE RENDS COMPTE DE CE QUE TU DIS ?!

QU'Y A-T-IL DANS TA TÊTE ?

JE VAIS AFFRONTER FREEZER...

...ET JE VAIS LE VAINCRE !

CE... CE N'EST PAS UN JEU !

SAN-GOKU !

JE VAIS VENGER KRILIN !

ON NE PEUT PLUS LE RESSUSCITER, IL EST MORT DÉJÀ DEUX FOIS !

KRILIN ÉTAIT UN GARÇON BIEN...

...UN DE MES MEILLEURS AMIS.

IL S'EST FAIT RÉDUIRE EN MILLE MORCEAUX.

A... ALORS, CE N'EST PAS LA PEINE D'ATTENDRE QUE FREEZER SOIT À FOND !

ET SAN-GOHAN ET SES AMIS ?

ILS VONT ÊTRE SAUVÉS.

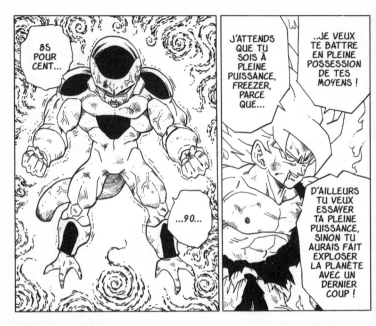

85 POUR CENT...

...90...

J'ATTENDS QUE TU SOIS À PLEINE PUISSANCE, FREEZER, PARCE QUE...

..JE VEUX TE BATTRE EN PLEINE POSSESSION DE TES MOYENS !

D'AILLEURS TU VEUX ESSAYER TA PLEINE PUISSANCE, SINON TU AURAIS FAIT EXPLOSER LA PLANÈTE AVEC UN DERNIER COUP !

HÉ HÉ HÉ !

...

...

M.... MAÎTRE KAÏO ?

CE... CE N'EST PLUS SANGO-KU !

IL AGIT SELON SA COLÈRE ! IL EST LE SUPER-SAÏYEN !

IL... IL SE PASSE QUELQUE CHOSE SUR CETTE PLANÈTE ! QUELQUE CHOSE DE TERRIBLE !

ET LA PUISSANCE DE FREEZER AUGMENTE ENCORE !! QUE SE PASSE-T-IL ?!

AH !

C'EST LÀ !!

SANGO-HAN !!

OÙ ÉTIEZ-VOUS PASSÉS ? J'AI FAILLI MOURIR D'ENNUI !

ET LA TERRE QUI N'ARRÊTE PAS DE TREMBLER !

ET QUAND SANGOKU DOIT ARRIVER ?

JE NE T'AI PAS TROP FAIT ATTENDRE ?

JE SUIS À 100 POUR CENT !

ON N'A PAS BEAUCOUP DE TEMPS.

FINISSONS-EN ! VITE !

FWOOOOOO

IMBÉCILE !

MAÎTRE KAÏO !

MAÎTRE KAÏO, C'EST MOI, LE TOUT-PUISSANT !

JE T'ÉCOUTE, QU'Y A-T-IL ?

MISTER POPO A RÉUNI LES DRAGON BALLS.

NOUS ALLONS POUVOIR IMMÉDIATEMENT RESSUSCITER TENSHINHAN ET YAMCHA...

...MAIS PAS CHAOZU, MALHEUREUSEMENT.

C'EST VRAI, IL EST MORT DEUX FOIS.

...

...

NE SOIS PAS TRISTE, CHAOZU...

...JE RESTE ICI AVEC TOI.

NOUS SERONS TOUJOURS ENSEMBLE !

ATTENDS !!

ON PEUT RESSUSCITER DEUX PERSONNES EN MÊME TEMPS AVEC TES BOULES ?!

OUI, À CONDITION QUE CE SOIT DANS LE MÊME SOUHAIT.

PAR EXEMPLE, SI ON DEMANDE À SHENRON DE RESSUSCITER TOUS CEUX QUI ONT ÉTÉ TUÉS PAR VÉGÉTA...

...IL EN RESSUSCITERA AUTANT QUE NOUS LE VOULONS.

HMMM... DANS UN SENS, LES TIENNES SONT PLUS PRATIQUES QUE CELLES DE NAMEK...

ET ÇA VA MARCHER ICI ? SI LOIN DE LA TERRE ?

JE PENSE QUE OUI.

POURQUOI ? VOUS VOULEZ RESSUSCITER TOUS CEUX QUE VÉGÉTA A TUÉS ? C'EST POSSIBLE, MAIS IL FAUDRA LE FAIRE AU PLUS TARD UN AN APRÈS LEUR MORT.

ENCORE UNE CHOSE, PEUT-ON RESSUSCITER CEUX QUI SONT MORTS DE MORT NATURELLE ?

MALHEUREUSEMENT NON.

SUPPOSONS QU'À CAUSE DE QUELQU'UN LE TEMPS QUI ME RESTAIT À VIVRE AIT ÉTÉ RACCOURCI, JE POURRAIS RESSUSCITER ?

JE NE SAIS PAS, JE N'AI JAMAIS EU CE CAS.

VOUS REGAGNERIEZ PROBABLEMENT LE TEMPS QUE VOUS AVEZ PERDU.

JE NE SUIS PAS SÛR.

HMMM...

QU'Y A-T-IL, MAÎTRE KAIO ?

BON !!

C'EST DÉCIDÉ !!

VOICI LE SOUHAIT QU'IL FAUT EXPRIMER :

"RESSUSCITEZ TOUS CEUX QUE FREEZER ET SES HOMMES ONT TUÉS."

HEIN !?

JE VOUS EXPLIQUE GROSSIÈREMENT, ON N'A PAS BEAUCOUP DE TEMPS !

LA PLUPART DES NAMEKS SERONT RESSUSCITÉS, AINSI QUE LEUR GRAND CHEF !

JE NE SUIS PAS DU TOUT SÛR DE CE QUI VA SE PASSER, MAIS ON VA ESSAYER. ON N'A PAS PU UTILISER LE TROISIÈME SOUHAIT, CAR LE GRAND CHEF EST MORT JUSTE AVANT. S'L RESSUSCITAIT, LE DRAGON POURRAIT RÉALISER CE DERNIER SOUHAIT.

ON LUI DEMANDERA ALORS D'ENVOYER TOUT LE MONDE SUR TERRE, SAUF FREEZER !

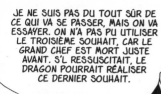

JE VOIS.

ON VA JOUER LE TOUT POUR LE TOUT.

ENCORE UN PEU DE PATIENCE, VOTRE TOUR VIENDRA !

PAS LE MIEN.

JE SUIS POUR !

ON N'AURA QU'À ATTENDRE UN PEU !

BONNE IDÉE, MAÎTRE KAÏO.

FAIS-LE VITE, S'IL TE PLAÎT ! NAMEK VA EXPLOSER !

JE VAIS LE FAIRE TOUT DE SUITE !

123

PEUF !
PEUF !

HÉ
HÉ HÉ !

ALORS ?

ET CE
N'ÉTAIT
QU'UN
ÉCHAUF-
FEMENT !

JE M'EN
DOUTAIS !

J'AURAIS
ÉTÉ DÉÇU
QUE CE
SOIT ÇA
TON MA-
XIMUM...

!

KUUH
!!

JE VAIS TE FAIRE UN COMPLIMENT AVANT QUE TU NE MEURES ! TU ÉTAIS EXTRÊMEMENT FORT, SUPER-SAÏYEN !

TU AURAIS ÉTÉ LE NUMÉRO UN DE L'UNIVERS, SI JE N'AVAIS PAS ÉTÉ LÀ !

CHCHRWOO

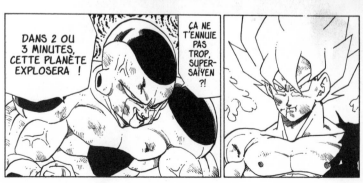

DANS 2 OU 3 MINUTES, CETTE PLANÈTE EXPLOSERA !

ÇA NE T'ENNUIE PAS TROP, SUPER-SAÏYEN ?!

AHH ! TU ESSAIES DE ME RETENIR LE TEMPS QUE LES GOSSES QUITTENT LA PLANÈTE, C'EST ÇA ?

HÉ HÉ HÉ ! DE TOUTE FAÇON JE DÉTRUIRAI LA TERRE ! ILS N'AURONT FAIT QUE REPOUSSER LEUR MORT !

JE NE TE RETIENS PAS !

J'AI JUSTE L'INTENTION DE TE TUER TOUT DE SUITE !

HO HO HO !

ARRÊTE DE DIRE N'IMPORTE QUOI !

JE VAIS TE CLOUER LE BEC !

LES AUTRES SONT ENCORE LÀ ?!

MAIS QUE FONT-ILS...?

BAAAAAH !!

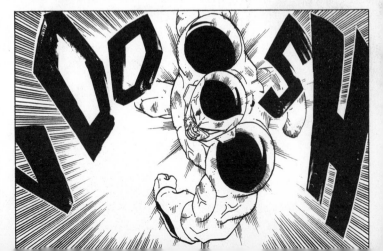

DOOSH

HAAAAAH!

138

CRÈVE, FREEZER !

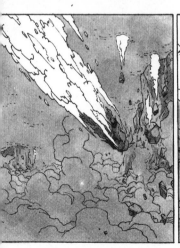

QUE... QUE SE PASSE-T-IL ?

NOUS... NOUS SOMMES VIVANTS ?!

C'EST BIZARRE ! QU'EST-CE QUE C'EST QUE CE BRUIT ?

LE CIEL EST TOUT NOIR !! QU'EST-CE QUE C'EST QUE ÇA ?

KOF ! ÇA T'APPREN-DRA !

PEUF !

TU NE POURRAS JAMAIS ME BATTRE !

PEUF !

HA ! HA ! HA ! HA !

LE CIEL...?

QU'EST-CE QUE...? PEUT-ÊTRE UN PHÉNOMÈNE QUI PRÉCÈDE L'EX-PLOSION DE LA PLANÈTE...

J'AI RÉUSSI. TOUS CEUX QUI AVAIENT ÉTÉ TUÉS PAR FREEZER ET SA BANDE ONT ÉTÉ RESSUSCITÉS.

EXCELLENT !

ADIEU.

CHLOPH !

BRAVO ! BRAVO ! ILS SONT RESSUS-CITÉS !

OOH !!

ALORS, OÙ EST LE GRAND CHEF ?! ET LE DRAGON ?!

TOUT VA BIEN ! LE CIEL EST NOIR. LE GRAND CHEF ET LE DRAGON DOIVENT ÊTRE RESSUSCITÉS !

JE VAIS VÉRIFIER.

CHRR...

QUE SE PASSE-T-IL ?

POURQUOI SUIS-JE LÀ ?

PEUF !

PEUF !

...

IL EST RÉSIS-TANT !

TRÈS BIEN ! JE VAIS T'ÉCLATER EN MILLE MORCEAUX, COMME L'AUTRE TERRIEN !

L'AUTRE TERRIEN ?

KRILIN ?!

TU PARLES DE KRILIN ?!!

VOS BOULES PEUVENT ENCORE RÉALISER UN SOUHAIT, N'EST-CE PAS ?

...C'EST POURQUOI NAMEK VA BIENTÔT ÊTRE DÉTRUITE !

...D'EN-VOYER TOUT LE MONDE SUR TERRE, À PART FREEZER !!

DEMANDEZ AU DRAGON...

ENTENDU, MAÎTRE KAÏO. JE VOUS REMERCIE D'AVOIR PENSÉ À NOUS...

...MAIS POUR DEMANDER À SHENRON D'EXAUCER UN SOUHAIT, IL FAUT ÊTRE EN FACE DE LUI !

JE VAIS CONTACTER CELUI QUI EST LE PLUS PRÈS DE SHENRON ET ON VA RÉALISER VOTRE SOUHAIT.

S'IL VOUS PLAÎT, MODIFIEZ LE SOUHAIT !!

"TOUT LE MONDE SAUF FREEZER ET MOI", D'ACCORD ?

SAN... SANGOKU, TU NOUS ÉCOUTAIS ! JE... JE TE COMPRENDS, MAIS...

...POUR LE MOMENT, TU DE-VRAIS...

SI JE NE POUVAIS PAS FINIR CE COM-BAT...

...JE VOUS EN VOUDRAIS TOU-JOURS !-

155

AHH... AHH !

C'EST DENDÉ...

...QUI EST LE PLUS PRÈS DE SHENRON.

DENDÉ ! C'EST LE GRAND CHEF !

GRAND CHEF ?!

J'AI QUELQUE CHOSE À TE DEMANDER. ON PARLERA APRÈS.

JE... J'AI COMPRIS !

JE NE DIRAI PLUS RIEN...

...SI VOUS LE SOUHAITEZ !

LE SHENRON N'EST PAS LOIN DE TOI.

JE VEUX QUE TU AILLES LE TROUVER POUR LE 3ÈME SOUHAIT.

EN-TENDU.

SHAF

VOILÀ LE SOUHAIT :

"ENVOYEZ TOUS CEUX QUI SE TROUVENT SUR NAMEK SUR TERRE, SAUF FREEZER ET SAN-GOKU."

QUE... QUE SE PASSE-T-IL ? LE CIEL...?

JE N'EN SAIS RIEN, MOI !

CO... COMMENT ?

JE... JE SUIS VIVANT ?!

TAC

ALORS ? TU N'AS PAS D'AUTRE SOUHAIT ?

LE... LE TROISIÈME ! MON DERNIER SOUHAIT EST...!

REVIENS SAIN ET SAUF, SANGOKU ! PROMETS-LE !

D'ACCORD. VOUS VOUS ÊTES DRÔLEMENT CREUSÉ LA TÊTE, MAÎTRE KAÏO !

?!

CE...

CE SONT LES...!

LES DRAGON BALLS !

C'EST...
C'EST LE
SHENRON
DE NA-
MEK !

KUUH!!

RENDS-MOI...

F... FREEZER !!

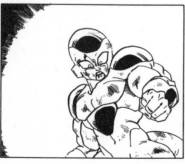

D'ACCORD. J'AI COMPRIS...

JE VAIS ENVOYER TOUT LE MONDE SUR TERRE SAUF CES DEUX-LÀ !

QUOI !?

FUH

JE NE PEUX PAS ALLER PLUS VITE, J'AI DONNÉ PRESQUE TOUTE MA FORCE À PICCOLO !

JE COMPTE SUR TOI, TU SAIS ?

MAIS !?

FUH

AH...
AHH !

LE SOUHAIT NE PEUT PAS ÊTRE EXAUCÉ À MOINS QU'ON NE LE FORMULE EN NAMEK.

J'AI EU PEUR !

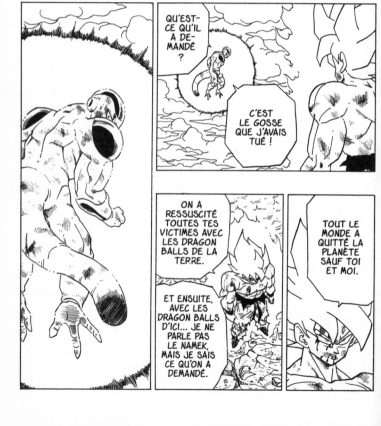

QU'EST-CE QU'IL A DEMANDÉ ?

C'EST LE GOSSE QUE J'AVAIS TUÉ !

ON A RESSUSCITÉ TOUTES TES VICTIMES AVEC LES DRAGON BALLS DE LA TERRE.

ET ENSUITE, AVEC LES DRAGON BALLS D'ICI... JE NE PARLE PAS LE NAMEK, MAIS JE SAIS CE QU'ON A DEMANDÉ.

TOUT LE MONDE A QUITTÉ LA PLANÈTE SAUF TOI ET MOI.

WOOOOF

J'ATTENDAIS CE MOMENT AVEC IMPATIENCE !

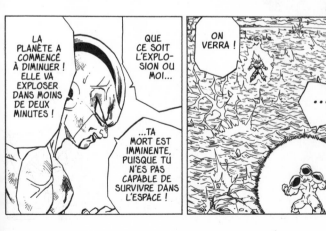

LA PLANÈTE A COMMENCÉ À DIMINUER ! ELLE VA EXPLOSER DANS MOINS DE DEUX MINUTES !

QUE CE SOIT L'EXPLO- SION OU MOI...

...TA MORT EST IMMINENTE, PUISQUE TU N'ES PAS CAPABLE DE SURVIVRE DANS L'ESPACE !

ON VERRA !

...

TU INSISTES POUR FINIR CE COMBAT ALORS QUE TU RISQUES TA VIE...?

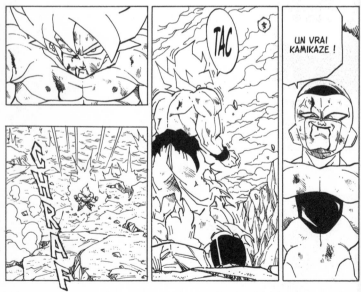

TAC

UN VRAI KAMIKAZE !

CHRAF

HEIN !? QUOI !? QUE SE PASSE-T-IL ?

OÙ SOMMES-NOUS ?

HMM ?

PICCO-LO !

DENDÉ !!

GRAND CHEF !!

GRAND CHEF !?

ÉCOUTEZ-MOI TOUS ! NOUS SOMMES SUR TERRE.

SUR TERRE !?

QUE S'EST-IL PASSÉ ?

IL NE ME RESTE PLUS BEAUCOUP DE TEMPS À VIVRE. JE VAIS VOUS EXPLIQUER AVANT DE MOURIR.

· · ·

175

HAAAH !!

PAF

SLAAH

PAW

KAH

PEUF !

PEUF !

J'ARRÊ-
TE !

QU... QUOI !?
QU'EST-CE
QUE TU
VEUX DIRE
PAR LÀ ?

TU T'AFFAI-
BLIS TROP
RAPIDEMENT
APRÈS AVOIR
UTILISÉ TA
FORCE À SON
MAXIMUM.

CE N'EST
VRAIMENT
PAS LA
PEINE DE
CONTINUER
CE COMBAT.

ARRÊ-
TE...

ARRÊTE
DE DIRE
N'IM-
PORTE
QUOI !

TCHAF

JE N'AI
JAMAIS
PERDU
UN SEUL
COMBAT !

SCHAAAAAW!

KEUF !!

GOUH !!

ZAP

TU N'ES QU'UNE POURRI-TURE !

JE T'AVAIS DONNÉ UNE DERNIÈRE CHANCE !

LA SUITE AU PROCHAIN TOME..

CHEZ LE MÊME ÉDITEUR

✪ BLACK JACK
(Osamu Tezuka)

Tome 1
Tome 2
Tome 3
Tome 4
Tome 5
Tome 6
Tome 7
Tome 8

✪ ASTROBOY
(Osamu Tezuka)

Tome 1
Tome 2
Tome 3
Tome 4
Tome 5
Tome 6
Tome 7
Tome 8

✪ ROi LÉO
(Osamu Tezuka)

Tome 1
Tome 2
Tome 3

✪ KENSHiN
(Nobuhiro Watsuki)

Tome 1
Tome 2
Tome 3
Tome 4

COLLECTION KAMÉHA

✪ MERMAiD FOREST
(Rumiko/Takahashi)

✪ PiNEAPPLE ARMY
(urasawa/kudo)

✪ SANCTUARY
(Ikegami/Fumimura)

Tome 1
Tome 2

✪ ZED
(Okada/Otomo)

✪ STRiKER
(Minagawa/Fujiwara)

Tome 1
Tome 2

✪ CRYiNG FREEMAN
(Ikegami/Koike)

Tome 1
Tome 2

✪ VERSiON
(Hisashi Sakaguchi)

✪ iKKYU
(Hisashi Sakaguchi)

Tome 1
Tome 2
Tome 3
Tome 4

✪ NEXT STOP
(Atsushi Kamijo)

Tome 1
Tome 2

✪ RAÏKA
(Terashima/Fujiwara)

Tome 1
Tome 2
Tome 3
Tome 4